KB005926

사라지는 윤곽들

사라지는 윤곽들

차례

1부

2부

3_부

한때 나도 내 슬픔에 빚지며 살았다.

나는 슬픔을 먹고 단단해졌다.

깊고 오래된 슬픔은 몸에서 신호를 보낼 때마다 뜨겁고 예리하게 작동한다.

휘발되지 않는 슬픔은 몸의 일부가 되기도 한다.

내 시가 나를 해치지 않고 다른 이들도 해치지 않기를 기도한다.

2022년 봄

권덕행

1부

기록에 관하여

중얼거린 것들은 어떻게 기도가 되었을까

고질적인 위로 뒤에 박제된 말들은 그늘처럼 가라앉아
있고
자발적으로 순장되는 말들, 마침표 없이도 끝나는 문
장이 있다

여름이 되면 깊고 서늘한 바다로 내려가 여름잠을 자는
바다 생물에 대해 읽은 적이 있다 공격을 받으면 내장을
확 쏟아내 버리는, 속을 다 빼 주고도 기어이 살아남는

어떤 후회가 밀려오면 속엣것을 울컥울컥 쏟아내고도
비문처럼이라도 살아남을 수 있을까

나의 위로는 그런 거였지
세상 가장 무거운 탄식을 줍고 다니는 일

죽은 지 오래된 뼈를 발견한 것처럼 그렇게 나를 보면
서, 들어줄 귀를 찾고 있었어

오래 지켜 온 생각들이 누군가의 가여운 숨이 되기를

나는 죽기 직전이라도 발견되고 싶어서
애타게 한 줄이라도 쓴다

나의 시는 그런 것
끝끝내 발견되기 어려운 것

이미 죽어 있어 배경음악으로도 쓸 수 없는 것

애도

발목 근처에 묶인 상처
떠돌다가 생긴 흉터라고 말했다

가장 추운 날 불현듯
종이에 적어 준 주소를 떠올렸다

그곳엔 내가 모르는 희망이 있는지

어쩌면 몸의 온도는 마음의 온도와 비슷하다는 생각
거기까지 흘러가느라 미처 그곳의 추위 따윈 모른 척해
야만 했었다

발목을 묶은 사람은 누구였을까
식구들은 너의 행방을 묻지 않는다

그저 목줄을 당기는 힘으로
멈춰 세우면 그만이다

나와 닮은 육신들은

왜 하나같이 눈을 감고도 슬픔을 읊조릴 수 있을까

발목을 두고 달아날 수는 없는 걸까

줄을 매단 채 걷고 또 걸어
살아 있는 척하며 멀리서 죽어 있는

노련하고 서늘하게, 애도한다

여름에 걸맞은 슬픔

쓰레기를 버리려 나가다가 냉장고 문에 세게 부딪혔다
이번 여름엔 멍이 제대로다
아무래도 짧게 입은 반바지 때문이다
아픈 것보다 요란한 사람이 될 뿐
햇볕에 쬐어 말린다 까매질 때까지 위로가 소용없어질
때까지

여름은 대체로 슬펐다
메마른 신경들이 희미하게 녹고
시간은 습한 곳으로 길을 내며 저녁을 불러들인다
걸음이 젖는다

여름을 건너뛸 수는 없었다
여름에 태어나지 말았어야 했는데
깨달았을 때는 이미 여름을 건너 온 후였다

그날은 육식동물의 먹이처럼 피비린내가 진동했다고
옥수수가 듬성듬성 살을 잃어 갈 때쯤
할머니는 말했다

늙은 강아지가 낳은 애처로운 새끼처럼
나는 늘 그렇게 호명되었다

밤은 쉬이 오지 않고 여태 환하다
밤이 짧아지면
슬픔도 잘 지낸다

어느 쪽이든

스물 언저리의 당신을 태우고 버스가
떠날 때
드디어 한 사랑을 떠나보냈다는 안도감
사랑해 사랑한다 사랑했다, 의
최근 표현은 무엇일까

어느 쪽이든
나는
가장 먼 사람
당신의 얼굴에서 맨 끝을 본 사람

낯선 흐느낌
너에서 너까지, 온통 기억의 우기들
큰 물 되어
곧 진창이 된다

함께 손을 담갔는데
누가 더 많이 젖었을까

소문은 무성한데
진심은 발음하기에 따라 다르다

암만 생각해도
당신의 입 모양은 무성의하다

부음

나, 이사 가
그 말이 그 말인 줄 몰랐다

뒤늦은 부음을 전했다

날마다 자라나는 의심
예정된 장면처럼
익숙한 윤곽 하나가 사라졌다

선과 선이 무너지고 경계조차 사라진 하나의 덩어리
실은 마음이 먼저 잠든다

문득 희미하게 사라지는 종들에 대해 생각한다
너는 그것보다 먼 풍경이 되었다

온기가 사라지고
목소리가 사라지고
외로움이 사라지고
엎드려 있던 너를 이제야 읽는다

너는
꽃무늬처럼 흩어져 어디에 도착한 걸까

나, 이사 가
꽃그늘이 너무 선명해서
짐을 싼다

둘째

둘째들의 심통은 법으로 보호받아야 한다고 누군가가
말했다

그들처럼 내내 바지를 줄여 입어 본 사람이 아니라면
말을 마시라

제 몸에 딱 맞는 뭔가를 걸쳐 본 적이 없는 사람이다 그
들은
낡고 헐거워진 인생을 몸으로 미리 경험한 이들이다
매번 다른 삶의 윤곽들을 몸에 걸치면 팔이 팔목을, 가
슴이 배를 서로가 서로를 침범하고야 만다

그들은 세상의 온갖 큰 것이 주는 소용돌이와
소스라치게 작은 것들이 주는 궁휼함에
한껏 저항한다

때론 악착같고 갈고리 같은 마음이 있더라도
그들을 이해하시라
가시 돋치고 위태로워 보일 때에야

그들은 비로소 말을 거는 것이다

몸의 가장 밑바닥에서 방언처럼 터져 나오는
억울함의 소리를 듣는 중이다

사이즈가 다른 속옷 안에 잠재적으로 배회하는 애처로
운 생식기
빈 곳이 모두 육체가 되던

그들은 그저
약간의 여백만을 원했을 뿐이다

첫눈

제 외로움을 돌보는 밤
불면

불안정한 밤의 입자들, 사이
소스라치게 나뒹구는 백색소음

뜬눈으로 내린다
조곤조곤 무한대로 태어난다

말도 안 되게, 큰 그리움이 쌓이면

익명으로 쓴다
말을 잃은 사람처럼 쓴다

아무도 읽지 못하게 쓰고
민낯처럼
노련하게 지운다

골목 가득 퍼지는 흐릿한 고요

잘 모르는 사이처럼
실은 만난 적도 없이 객사한다

나는 깜빡 졸았다고 말하는 못된 버릇이 있다
약 기운이 흰죽처럼 묽게
퍼진다

잘 지내니

눈알을 빼 식염수에 담근다
잘 떨어지지 않는 눈알
내가 오래 들여다봤던 것들 하나하나
잠긴다

아직 기억하지
너의 구도를
늘 버림받은 각도로 내 옆에 있었더랬지
절뚝,
절뚝

데려간다는 이 있을 때 급히 팔려
이른 시집을 가고
너는 너보다 큰아들을 낳았어
그래 봤자 너는
행복해 보이지 않았어

집 앞에는 얕은 강물이 흘렀고
가라앉아 있는 돌들을 오래 내려다보고 있었지 너는

기다려도 떠오르지 않는 것들
손을 잡듯 돌 하나를 집어 올린다

이렇게밖에 살 수 없을까

좀처럼 말을 듣지 않는 슬픈 관절에게
물어본다

얼룩덜룩

다 해어진 유모차에 팔을 걸고 선 노인은
직립보행의 시절을 떠올린다

이제 더 이상 잎사귀가 돋아나진 않을 테지
검게 마른 팔을 보며
쓸모없게 말했다

죽은 채로 버려진 식물처럼 그림자 져 있다

모든 늙은이들이 썩고
또 다른 늙은이들이 만들어질 때까지
누렇게 눈을 뜨고
얼룩덜룩 살아간다

의식은 어떤 순서로 무너져 가는가

여백을 견디는 힘으로
폐허에 대해서 완강하게 함구한다

잠들지 못한 말을 쓰다듬으며 오랫동안 허기진 것들에
포개어 잠든다
 사무쳐 하던 사람의 얼굴이 검버섯으로 피어난다

 때론 듣고 싶었던 말보다
 다시 묻고 싶은 말들도 있다

안부

당신과 함께 갔던 그 강에서
눈이 내리는 것을 보고 있었다

발 디딜 틈도 없이 빠져 버리는
눈은
차곡차곡 그렇게
생몰 미상인 채로
그렇게

부딪히는 자리마다
과거가 되었다

잘 지내냐고 물었다더라

잘 지낸다고
안부를 돌려보냈다

헛것과 다시 이별하듯

기다려도
도무지 오지 않는 과거는
어떤 말로도 닿지 않는다

멀다

오늘

눈치 없는 동네 여자를
두 번이나 모른 척하고 지나갔다
전화 받는 척 옷에 뭐가 묻은 척
그렇게 스쳐갔다
대체로 나는 걸걸한 것에 질렸다
아무나 보고 말 걸지 마라

뻥튀기
쌀 한 알로 노련하게 뻥 뜯는
시시하고 심심한 것들이
악착같이 달라붙는 소리
팡팡, 튕겨 오르며
순간 가벼워지는 사소해지는 횡포

무단 횡단하던 고양이
또 그 옆의 한 마리
헤어지듯 미동이 없다
오래도록 핥아 주던 혀의 반란
몸에서 몸 끝까지 찢어 놓는

그저 오해였어
이 질 나쁜 것아

돌출된 의심들은 갈수록 내가 된다

아무도 오지 못하게 모든 길을 지운다

나는 안전하지 않다는 전조(前兆)이거나 몸집을 불리는
화법만으로
나를 읽어낼 만한 그 어떤 삶의 맥락도 없다
내가 사라진대도 나를 발견하지 못할 것이다
사라지는 데에도 증명이 필요한 시대이므로
나는 아무것도 남기지 않을 것이다

기묘하게 엉겨 붙은 시간들
사이로

나는 오늘 말이 없다

지독한 위로

굳어 간다 그렇게
기묘하게
의지와 상관없이 생이 엉클어지고

생의 기울기 따위가 뭐라고
다 자란 오빠의 손을 잡는다
넘어지지 않게

혀에 닿지 않는 소리
하릴없이 먹먹한 허기
무의미하게 비껴 날아드는 시선
손에 부딪히는 균열
발에 차이는 걸음

누구 잘못도 아니라는데
병색 짙은, 생의 악천후

통증은 생을 이어 주는 유일한 것이었다

사소하게 소멸될 의향이 있는지 삶의 어디쯤에서 물어
보면 될까
생을 흥정하다가 그만
두서를 잃고 만다

그는 자신의 몸이 기억나지 않아서
맑은 눈으로 한참을 울었다

간밤에 꽂은 수액
밤새 온몸에 비가 흐른다
누군가 끄지 않은 음악처럼
소리만으로도 흥건해진다

목숨마저 몸져누운,
마지막이 생을 앞질러 가는 기척을 듣는다

혼자서 저문다

낯선 소모

몸에 물기가 마를 날 없는
대체로 엄마라는 장르는
사소하고
서글프고
희미하다

소녀를 팔아
너를 낳은 가여운
엄마,

불현듯 도착한 곳

돌아가는 길은 없다
아직 오지 않는 시간에게

저만치

웃어보는

나의 열렬한 피사체

지나친 시선이 멈칫,
호명하는 순간 정물이 되는

단정한 생각처럼 기록된다
너하고 너뿐인

기억의 저쪽이 차갑게 응결된다

망설이던 것들도 시간이 된다

기억은 기억의 바깥에서만 극적이다
사진 속, 나의 열렬한 피사체

너는 떠났고
퍽이나 자연스러운 눈웃음만 남아 있다

난파된 흉곽에 밤이 내리면
아직 도망가지 못한 것들
가장 추운 자세로 매달려 있다
도처에

깨끗한 나라

심지가 굳어

느슨하거나 흘러넘치는 일은 없다

질 나쁜 생각이 켜켜이 모여 있는데도

단정하기조차 하다

수많은 너를 껴안고 껴안으면

심지어 둥글어지기도 하지

너는 무뚝뚝하고 질기고 까칠하고

연락 두절된 애인처럼

뚝, 뚝

사라지는 일에 익숙하다

너는

거대한 오물 앞에서

혹은

모든 희로애락의 순간에

웅크려 있다가

문득 생의 한 조각을 내민다

몇 겹으로 위장해도 늘 안색이 좋지 않다

너는 하얗게 질려

단종된 삶을 동경한다

날개를 접듯

오늘도 숙명을 다한다

무덤에 갔다

외로운 사람들이 몸져누운 곳
숨죽인 곳에서도 그렇게 풀들은 무성하고
우리는 길을 내며 무덤에 갔다

여름 숲은 무덥고
가시덤불은 생채기를 만들었다

언제부턴가 조금씩 불행해졌다

오죽하면 살아 있겠니,
일찌감치 죽어 버리지
여자는 그치지 않고 말했다

삶과 죽음이 스치는 소리는 고단하여 늘 표독하다

젊은 채로 죽은 남자
빨리 늙고 싶은데 죽도록 천천히 늙어 가는 여자

잠시만 살았으면,

헤아릴 수 없는 무한 속에서
무작정의 삶을 앓는 여자가 읊조렸던 말

당신 몰래 반대말을 구사하는 일
결국 우리는 서로를 모르고 헤어진다

죽음이 나를 알아볼 때까지
용의주도하게 엎드려 있다

이석(耳石)

원인을 알 수 없는 고열이 지나간 여름
허공에 달팽이관을 그려 넣는다

누군가가 다녀간 흔적
누가 돌을 옮겼을까

언젠가 적막에 대해 이야기할 때 귀 근처 어딘가에서 돌
굴러가는 소리를 들은 적이 있다

아름답고도 무서운 경계심

눈에서 가장 먼 곳,
돌은 스스로 자리를 옮긴다

너무 많은 마음을 들은 날이 있다
그런 날에는 꼭 어지럼증이 찾아온다

절정처럼 바닥에 귀를 묻고 생각한다
귀를 잘라 버린 화가는 사는 내내 자신의 귀를 그리워하

다 죽었을까 사소한 불행이 전체가 되어 갈 때 수신인을
잃어버린 긴 음악은 어디쯤에서 사라졌을까

 귀를 환각하는 버릇
 의사는 처방전으로 돌을 옮기는 것에 대해 사소하게 읊
어 주었다

 게워 내면 게워 낼수록 구원에 가깝다

2부

언니에게

귀는 깊어 슬픈 기관*일 거라는 어느 시인의 말에 순간 언니가 떠올랐다. 춥네요, 라고 말했는데 언니는 대답이 없다. 언젠가 언니와 나는 같은 듯 다른 이명을 앓고 있었다. 바람 소리, 쇳소리, 비행기 소리가 귓속을 뱅뱅 도는. 우리는 최초의 그리고 최후의 기억만을 가지고 있으면서도 아무렴 어때, 하듯 그동안 몇십 년 치를 중얼거린 듯. 기억의 확장도 기억의 재생도 아니면서 과민하기 짝이 없는 현재를 아무런 경계도 없이 오르내리며. 언니와 마주하고 싶은 것도 말하고 싶은 것도 아니다. 그러면서도 문득 언니가 떠오르는 건 적어도 비슷한 쇳값을 치르며 사는 듯한 느낌이랄까. 난청처럼 말의 길을 잃은 내가 내내 오래 들추어 보는 무엇을 언니도 보고 있는 듯한 느낌.

아무렴, 잘 지내길.
그곳의 추위는 알 수 없지만.

* 이은규, 『다정한 호칭』중 「청진의 기억」에서.

무의도

깊이 가두었다가
어느새 조금씩 드러나는
물의 흔적 같은
몸

너였다가
니가
아니었다가 그래도
너인
곳

몸이 잠드는 시간인 밀물과
눈조차 깨어 있는 시간인 썰물들
사이로

무의도를 갔다

파묘

영혼을 갖는 것, 체온을 입는 것
다시 가슴이 뛰는 꿈이라도 꾸었을까

파묘,
누군가의 허리 높이로 묻혀 있었다지

군더더기 없는 침묵
젊고 싱싱한 뼈, 가여운 몸의
뿌리
표정도 없이 눈알도 없이
두개골의 고뇌와 내장의 어둠, 관절의 슬픔을 간직한
이것들을 끌어다가
불을 붙인다

사라지는 윤곽들, 어루만졌을
거기

나의 처음이자 가장 오래된 물음에
마음을 기대며

활활 타오른다

당신의 기분과 당신의 추억과 당신의 사랑
그리고 너무 서툰 당신의 서른 즈음
그늘 깊은 한 줌의 육체

오래전에 죽은 사람의 입김을 떠올린다

헤어진 곳에서 다시 헤어진다

미용실에서

태어나 처음으로
엄마가 아닌 다른 미용사에게 머리를 자른 날

우리 집으로 걸어 들어오는
머리
머리들이
우리의 결핍을 채우던 그때

세상의 모든 머리채를 다 끌고 오고 싶다던
엄마는
지금도 시골 동네에서
누군가의 뒷덜미를 털어 내고 있겠지

편두통 같은 파마약 냄새
찰찰찰 틱틱탁탁거리는 가위질, 그 아날로그적인 비트
를
꿈에서도 잊을까

내가 아직은 알지 못하는 어떤 시절에

문득 엄마가 그리울 때면

나는 머리를 하고 있겠지

싹둑,

싹둑

너는, 개

슬픔은 어떤 모양일까 닫힌 문 앞에서 오뚝이처럼 앉아
울부짖는 모습이라니 사람인 척하기에는 이미 털이 빼곡
하다 슬픔의 징후를 몰래 다독이며

대체 어떤 밤을 표백하면
너라는 솜뭉치가 나올까

구름의 안쪽인 듯 손을 말갛게 물들이는 뭉글한 살갗
흐느끼고 있는 자의 내부를 쓰다듬는 마음이랄까

이름을 부르면 어느새 다가와 꼬리를 흔든다
꼬리를 흔드는 이들은 대체로 구구절절하지 않다
나에게도 꼬리가 있다면 그렇게 실체 없는 말들을 쏟아
내지 않았을 텐데

나의 일부를 떼어 주어도 떠나가는 사람과는 달리
너는 일용할 양식만으로도 나에게 기대온다

그렇지만 가끔 너는 말을 잃은 사람 같은 표정을 지을

때가 있다
　너도 허기지는 말이 있니

　폭설 같은 마음을 털어 내듯
　온몸을 세차게 흔든다

　그럴 때마다 너의 뒤통수는 얼마나 딴청이며 또 얼마
나 단호한가

북경의 어느 길

바람이 그 길에서 손목을 휘어잡고 물었다

길은 맨 앞도 맨 뒤도 아니라서
아무래도 늘 길의 한복판이었다고

길은 죽은 개처럼 길게 혀를 빼고 비밀처럼 드러누워
있었고
손목이 툭 떨어지는 소리
묵은 신문지 사이로 두 발이 벌어지는 각도
오차 없이 사라지는 지나친 농담
그것은 유서 위에 뭉개진 글씨처럼
자발적인 불행이었다

길 위에서 목도된 것은 날것의 발성
그저 익숙한 몇 가지 동작이라는 것
수군거림은 대체로 그런 것이었다

너무 빨리 끝내는 생에 대해
낙관은 오류투성이로 발견되었다

너는 처음부터 말이 느리더니 평생을 불편하게 만들었
다

어떤 진심은 왜 완벽하게 사라지면서 탄로 나는 것일까
하며 길의 바깥처럼 서 있는데

그 길이 나에게로 왔다

너는 북경의 어느 길이라고 했다
좋아했던 많은 길 중에 하나라고
머리카락처럼 잘라 보내왔다

토막 난 자리마다
흩어지는
희미한 모국어

희한하게 그런 것들이 마음이 될 때가 있다

고추 말리는 풍경

우리 동네의 가을은
이렇게 빨갛고 수줍다

앞으로 몇 번의 가을을 이런 광경과 마주할 수 있을까

기쁨도 슬픔도 없이
이 모든 것들은 전시되고 말겠지
생몰 하는 모든 것들이 그러하듯
우리는 고추를 널어 말리는 세대가
아니므로

시위라도 하듯 수상한 배열
절정인 듯
붉고 따사로운

저렇게 시간이 많이 드는 일을
눈에 담고 몸에 새긴 이들이 하는 일이란
어쩜 저렇게 놀랍도록 사소할까

그러므로 우리는
낡고 늙어 어디에서 마주칠 수 있을까

나에 대한 맹렬한 회의는
어느 과거에 망명해 있나

불협하던 이들은 여태 자신의 소리를 듣고 있을까

호명할 수 없는 흉터처럼
내내 막연해지는 것들이 있다

유월의 분위기

애써 다가가지 않아도
절정 뒤에 유월

꽃들은 비탈처럼 목을 떨어트리고
붉게 취한 말들을 놓아주듯
초록의 맥박 아래 어렴풋한 박동

나는 정말이지 빗겨 나간 것들이 좋아

형형색색이나 울긋불긋, 알록달록
뒤에 오는 그런 것들이 좋아

같은 표정으로 다르게 말하는
초록 잎들이
사춘기 없이 떠나보낸 유년 같은
초록 잎들이
여기에는 없는 이름 같다

모호하고 탄식하고 비장한 사연들을

통째로 쏟아 내 버린
그냥 좀 고분고분한 것
다시 산책을 하고 나무 곁을 지나다가
세상에서 가장 텅 빈 그늘을 기대해도 좋은

그저 모르고
몰라도 되는

나는 천 가지, 만 가지의 초록

나를 가늠하지 못하게
아무도 모르게 잊혀지는
우물쭈물, 유월의 분위기

앓을 것이므로

겨울 내내 꼭 닫아 두었던 창문을 연다
삐익—
손에 묻은 검은 먼지

구르는 소리
부르는 소리
흐르는 소리
닫히는 소리
섞여 있을 때 더 분명한 소리들

통증이 계속 밀려오는 어떤 밤에는
고요함을 흉내 내는 음악보다
아무도 기억하지 않는 적막이 차라리 나았다

결국 나를 아프게 하는 건
욕망하는 나와 욕망하지 않는 나,
둘 다였다

어쩐지 우리는 늘 이상한 방식으로 탕진되고 있었다

아무도 물어보지 않는 말들의 겉은
차라리 하얗고 눈부신 가루가 된다

항생제를 먹어 둔다
앓을 것이므로

툭툭 털어 낸 말들 사이로 오래된 냄새가 난다

말, 하지 않을 것이다
아무리 흔들어 깨워도

나는 가루처럼 말의 겉을 지킬 것이다

느슨한 밤
비밀이 많아져야 깊어진다

나는 당신의

나무 아래
한 줌의 뼈를 묻고 돌아섰다

미완성으로 끝나는 일엔
타고난 고난이 필요하다

인용 가능한 수치심은
오랫동안 지켜보는 이들에 의해
감각적으로 수놓아지고
당신의 손을 한 번도 잡아 본 적이 없는데
놓는 일은 늘 극적이다

죽어도 다시 돌아올 것 같지 않았던 애인처럼
도중에 많이 막혔다며 한 번이라도 머뭇거려 주기를 바
랐을까

기억에 대한 간헐적인 불성실함이 나를 살게 했다

몸을 이탈한 곳에서 몸의 조각들을 위로한다

발랄한 인상을 가지지 못했던 건 내 탓이 아니다

이맘때였지
내 속에 강이 자라고 있었다
젖은 몸을 수없이 내팽개치고 싶었던
나는

당신의 어린,
그림자

아픈 이들의 시간은 그렇게 자주 멈춘다

슬픔의 종착지를 수소문한다

닭개장

　오랜만에 가족들이 모이면 엄마는 고사리와 토란을 불려 넣고 숙주를 한주먹은 좋게 넣고 부추를 약지 손가락만큼 잘라 넣고 또 파를 열 뿌리는 되게 굵게 썰어 닭개장을 끓여 내 오셨다. 나물을 준비하고, 닭을 삶으며 닭기름을 걷어 내고 뜨거운 닭 한 마리를 통째로 꺼내 껍질을 벗겨 내고 살과 뼈를 바르고, 그 위에 조선간장에 매운 고춧가루에 마늘을 듬뿍 다져 넣고 바락바락 주물러 양념이 골고루 배도록 했겠지. 닭 육수가 끓어오르면 그것들을 넣고 한소끔 푹 끓이면 그렇게 닭개장이 되는 것이다. 둘러앉아 땀이 쏙 빠지도록 먹을.

　이름 없는 지방에서 소리소문없이 살다가도
　문득 떠오르는 냄새, 식욕 혹은 상념.

　누군가를 위해 뜨거운 불 앞에서 무언가를 끓여 내는 일,
　들려줄 말이 있는 것처럼 한소끔 부글댈 때 뜨거운 속을 들키고 싶지 않을 때 괜스레 거품을 숟가락으로 떠낸다.

마른 저수지 같은 엄마의 삶에 유일한 물기란, 밥을 하
는 일일 것이다.
먹이를 구하느라 흘린 고된 흔적
밥을 지으면서 엄마가 된다.

아직 내 몸에 남은 물기들, 글썽글썽한 맛.

병문안

병문안을 갔다
한쪽으로 누워 있었다
모든 인생이 덜 아픈 쪽으로 돌아눕듯이

나보다 빨리 병든 사람에 대해 생각한다

곁을 지키는 일은 기껏해야 시간을 돌보는 일
슬픔을 셀 수 있다면
나는 몇 번째 어둠을 불러낼 수 있을까

열 몇 번의 낮은 이미 사라지고
다섯 번의 밤은 창백했다

눈동자에 스치는 잡히지 않는 기척
언젠가 당신이 몸을 잃어도 내가 기억할 순간

가만히 옆에 앉았다
마주 보는 일은 평범한 일상에서나 가능한 일이다

당신의 발 앞에서 아무리 울컥해도
점점 희미해지는 당신보다 슬플까

이미 늙은 환부
이 흔적을 다른 흔적으로 치환할 수 있을까
낯선 길에게 묻는다

목적지가 너무 분명해서 우리는 절망한다

순두부의 기억

몸이 아파서 무너지는 날엔
순두부를 먹는다

검은 봉지 가득 피어오르는 살냄새
입에 닿기도 전에 무너지는 속살들
안간힘도 없이
아슬아슬한

울음을 참아 내듯
흔들리는 몸,

순두부를 먹는다
뜨겁고 뭉클한 것들을 식탁에 차리는 날엔
울지 않고 밤을 보낼 수 있다

그런 날이 있다
냉큼 대답할 말이 생각나지 않을 때 아무도 몰래 볼테기
가득 순두부를 먹는다 말의 공복들이 조근조근 채워진다
이국의 말처럼 뭉글뭉글하다 한 숟가락 뜰 때마다 파먹

은 자리 환하다 떼어 낸 무늬조차 고요하다

순두부를 먹는다
근육도 없이
완벽하게 부풀어 오른다

모락모락 피어나는 심장

그들만의 체온

유독 머리숱이 많은 사람을 만난 적이 있다

머리숱이 많은 사람 혹은 몸에 털이 많은 사람의 체온
은 어떨까
비밀을 간직한 사람들은 몸에 털이 많다든지 머릿속이
복잡한 사람들은 머리숱이 많다든지 그런 것들과 연관이
있을까, 당신은 물었지

털이 많은 사람은 틀림없이
그들만의 체온을 가지고 있을 것이다

나를 사랑하지 않으면서 나를 사랑하는 생각에 골몰하
는 당신은 무서울 정도로 뜨거웠지만 늘 혼자 웅크리고
자는 습관을 버리지 못했다
무언가 빼먹을 게 없으면 당신의 온기라도 거두어 갈
까 봐 그랬을까

마음 한쪽도 내주지 않는 사람들은
체온 유지에 실패할 리가 없다

자신의 체온만으로도 한평생을 살아갈 수 있을 만큼

몹시 추운 날
자신의 체온을 건네는 사람은 어떤 사람일까

계절성 안부

여름이 가고 또다시 여름이 온다
고여 있는 계절
무섭게 덥고 온몸에 신맛이 물든다

청량하다는 말은 대체 어느 지방의 말이었을까

나는 발음할 수 없는 말을 몇 가지 지니고 사는 사람을
알고 있다 숨길 수 없는 그의 속내, 그의 이력을
언제나 당신은 빨갛게 화가 나 있었어 잘해 주지 못해
서 미안하다고 했다
진짜냐고 물을 때마다 새삼 어른이 되던 시간들

모국에서 들려오는 소식은 하나같이 추웠다

차라리 더운 게 나아
여전히 화가 난 채로 그는 말했다

창밖으로 벌거벗은 사람들
그을린 육체들은 먹물 같은 말을 쏟아낸다

뜨겁고 단단한 그림자를 만들어 내며 간격을 넓혀간다

도대체 어떤 인사가 듣고 싶어서 그곳을 찾아갔을까

돌아와 보니
그가 사 준 식물이 잊혀진 사람의 얼굴을 하고 있었다

당신은 항상 불편한 것들을 선물했다
올 수 없으면서 오고 있는 척

그가 경멸하는 것들이 오늘은 나로 환원되어 있을 뿐

이불을 널며

오래된 복도식 아파트 베란다에 이불을 널어 말린다

지난밤의 오해들과 지나친 격량 같은 것들은
이불 속에서만 이해받을 수 있다

그러나 얼룩으로 그 사람을 평가할 수는 없다
이불 속 사정은 다 다른 법이니까

내가 덮은 이불들은 나를 오롯이 바라본다
오래 덮어 내 살갗 같은 그런 것
진물 나는 마음을 말리듯,
그렇게 살갗을 널어 말린다

이불을 둘둘 말고 자는 사람은 알 것이다
오랜 잠이 주는 무게
저문 육체의 아득함을 지탱해 주는

그것은 너의 삶의 부피를 어림짐작하는
때론 누군가의 수치를 어루만져 주는

잠들지 못한 채 서로 포개어져 울어도
낙관주의자처럼 서로의 상처를 껴안고 있어도 좋을
혹은 죽을 때까지 죽어지내기에 좋은 그런 것

당신의 오랜 잠을 버텨 준,
이불은 누워 있을 때만 힘을 갖는다

자욱하게 속삭이듯
익숙한 수면이 쌓이면
이불을 털어 말린다
뉘엿뉘엿 해 넘어가는 방향으로

잠든 이의 숨소리 같이
차라리 희미해지는 쪽으로

홍옥, 이라는 여자

짧은 가을이 그렇듯
제철 맞아 반짝하고 나온
빨갛고 예쁘게 반들거리는 사과 한 알
홍옥

검은 봉지 가득 어찌 저리 붉고 탐스러울까
홍옥, 이라는 여자

사진 속 홍옥은 얼마 뒤 남의 남자와 달아났다

너에게도 사정은 있었겠지
가령 사랑이었다거나 그런
붉고 어지럽게 달아올라
아닌 줄 알면서도 끝으로 치달았던
그런 때

홍옥을 한입 베어 물며
잘 알지도 못하는 홍옥을 생각했다

삶의 절정이 달아나는 것이라니

이맘때쯤
눈가가 붉게 차오를까
밀어냈던 것을
누군가 다시 밀고 들어오지 않을까 하는 섬망

최선을 다해 사랑으로 내달렸는데
한 번도 사랑에 속한 적이 없는 것처럼
이 사랑은 몹쓸 흔적으로만 남아 있다

가장 예리한 입술로
아무렇게나 뒹구는 이야기

추한 식성

뜯어 먹다 남은 바게트처럼
물어뜯긴
생의 균열

3부

헤어지는 방식

마시고 있던 물을 건넸다
죽은 식물에게 마지막으로 인사를 하듯

내게서 떠나는 것들은 납득할 수 없는 이유로
늘 연락이 두절됐다

죽은 식물은 죽은 채로 계속해서 죽어 갔다
잊기로 한다
죽을 때까지

헤어지고 싶었던 이유들을 평생을 바쳐 빽빽이 적었는
데도
너는 다른 이유로 떠났다

이별은
고통을 분담하는 것이 아니라
각자 무거워지는 거지

그러다 이별에 재능이 있는 쪽이 더 빨리 회복되는 거

지 처량해진 힘으로

후회처럼 얼어붙는 밤이 오면
끝끝내 무너지는
이목구비

일대가 물바다다

애플 그린 만년필

당신이라면 내게 무얼 줄까
생각했었는데

몸의 부위 같은 길고 날렵한
그것

느리고 수줍고 예민한 사람은
감금된 입술의 말들을
그림자처럼 불러옵니다
써 내려간 그곳에 없는 듯 깨어나는
데면데면한 문장들

필요한 것 말고
나에게 사치를 도와주고 싶다는 말

고마워요
먼 데 있는 당신

펜을 고쳐 잡을 때마다 떠오를 거 같아요
나는 당신에 밑줄을 긋고

당신을 쉬어 가고
당신으로 마칩니다

둥글게 말아 쓴 글씨처럼
나와 같은 주기로 공전하는 당신
당신의 오랜 산책을 여기에 적습니다

언제나 말줄임표 뒤로
입술을 감추는 당신

당신은 이 삶을 참견하지 말아요
그저 뜻밖의 사람이 되어
평범하고 순하게 서 있길,
그 길에서

나는 당신의 분위기를 옮겨 적습니다
당신이 좋아하던 길과
당신과 내가 나눈
어른스러움까지

그림자

내내 검은 피로 떠돌다
몸 밖으로 나온

나, 라는 검은 구토

나의 가장 끝에서 흔들리는
비밀처럼 번지는
서늘한
추상

유적같이 켜켜이 쌓여 있는
병든 살점

떼어 내도 떼어 내도
조화처럼 과장되게 붙어 있는

밤이 오면
다시
너를 부축해

나 자신으로 돌아가는 거지

눈알도 없이 잠들고
입도 없이 오열하는
너는

낯선 손님처럼
젊고 뜨겁고
근심에 가까운

빈집

빈집에 다시 돌아왔다
바람이 불면 가까스로 붙잡고 있던 마음이 툭, 하고 떨
어진다
사월하고도 며칠이 지났건만 바람은 차고 여전히 그늘
도 깊다

누군가의 잔해를 끌어안고 사는 지층처럼 발견되었다
더라
가장 추운 방식으로
참혹하게 사적으로

당신은 고독하다고 말했고
여권에 도장을 찍듯
모든 이력엔 누군가가 다녀간 흔적들로 가득했다

혼잣말은
제 마음에 불을 지피는 말
연기처럼 누군가에게로 기울어지는 말

가장 사무치는 농도로 캄캄해지는 몸
아득하게 응고된다

당신이 지고 나면
식어버린 살점 바람으로 흩어져
비로소 한 사람으로 남지 않겠지

나는 돌려보낼 마음조차 없는데

그럴 때가 있지

비가 오는 것보다
비가 오기 전의 회청색 하늘이 좋아

예전에 알던 여자가 있었는데
그 여자의 남자는 회청색 하늘을 뚫고 자전거를 타던
남자였대

그런데 어느 날
그 남자가 완벽하게 사라졌어

어떤 이별을 맞아야, 문득 수긍되는 걸까

절취선을 잘라 내듯
모든 것이 단정하게 정리되었다
이쪽과 저쪽의 차이는 잘라 낸 사람만이 안다

그 남자 이야기를 베껴 쓰면서
버려진 짐승 같은 그녀를 떠올렸어

좌표평면 위의 원점처럼 아직 제자리인데 그 남자 혼
자 어디로 떠난 걸까 마주 보는 두 눈 이제 점을 찍을 차
례인데

어떤 어둠이 완전히 소멸되는 순간은 언제일까

여자는
지금쯤 길을 찾았을까

권태

기진맥진한 포유류처럼 누워서
이혼한 남편에게 다시 선배, 라는 말을 쓰는 여자에 대
해
읽고 있었어

비유는 빌려 온 것에 지나지 않았다
의미를 걷어 내면 겨우 누설되는 비밀
진심은 늘 내 것이 아닌 듯 밖에서만 발견된다

권태로우면 헤어질 수 있는 걸까
당신은 아마도, 라고 말했지
그 남자와 그 여자는 권태로워서 헤어졌대

아무리 앓아도 아무리 눈을 감아도 혼자 있는
이 환한 밤을
폭설 같은 죽이고 싶은 이 환한 밤을
누가 알까

참 추웠던 엄마

사람이 지고 나면 온기가 가장 먼저 사라진다는데
새벽 기도를 갈 때마다 남의 집에 보일러 돌아가는 소
리가 참
부러웠대

그 말에
나는 며칠을 앓았어

사랑을 잃고도
온기를 잃지 않는 저들은
끝과 끝으로 서로를 밀어내면서도
이 사랑을 불길하다 말하지 않겠지

얼룩이야
지워 버리면 되는 것을

망설이다 불쑥 기억이 찾아오면

언제나 이별은 랜덤처럼 몰려오고
어떤 죽음엔 고개를 끄덕이기도 했다

가지 말라고 말하는 순간
정말이지 당신은 잃어야만 하는 사람이 되는 것이다

이별은 인생의 가장 후미진 골목 같아선 안 된다
폭죽같이 팡팡 터지기 쉬운 곳에서
우리 이별하자

너를 잃어도 괜찮을 곳에서
가령 늦은 점심처럼 혼자서 슬픔을 해 먹는 그런
둘이서 떠났다가 혼자서 돌아오는 그런
그런 곳 말고

여름 산은
너무 푸르러 고요하고 슬픈데
그곳에서 너를 잃어버리고 왔다

누군가는 부주의했고

그때마다 한쪽은 폐허가 될 뿐

우아를 떨고 있는 쪽이 분명 더 많은 기억을 가지고 있겠지

사이좋게 오해를 나눠 가지며

우리는 서로를 오독하는 일에 한평생을 바치기로 했다

더 빨리 먹은 사람이 남긴 자국을 바라보고 있는 것처럼

이상하게 굶주려 있는 날이 있다

망설이다 불쑥 기억이 찾아오면

몸의 안테나를 곧추세운다

한때 나였던,

당신

사진 속 너에게

시원하니, 얘야
헤프게 엎질러 놓은 웃음 뒤로 차가운 계곡물이 흐른
여름이었구나

있잖아
나는 늘 참아 내는 사람이었지만 너한테는 좁고 가파
르게 굴었고
나는 마치 타고난 천성처럼 질서 정연하게 구는 사람이
었지만 너한테는 늘 변주하듯 널뛰었고
나는 사실 말이 별로 없는 사람이었지만 너한테는 온통
내 소리로 가득 채웠구나

열었다 닫았다
열렸다 닫혔다,
너와 나의 시차들

미안하다
니가 자고 나서야 비로소 나는 니 생각을 한다

부재중 전화

띠링
여기 낭떠러지예요

밤마다 분했고 밤마다 통렬했던
자신의 불행에 집중하는 버릇

띠링
여기 절벽이에요

모른 척한다

띠링
여기 물속이에요

부재중 전화
저토록 사소한 구원으로 하루하루를 살아가는 아니 죽
어가는

모른 척한다

나는 멀어지는 일에 실패해 본 적이 없다

눈물

내가 나를 앞질러 가는 마음,

슬픔의
동선

대체로
돌이킬 수 없음에 시선을 둔다

말할 수 없이 뭉개진 마음도
재고품처럼 남아
여전히 처치 곤란이다

말을 잃은 사람은
가장 많이 본 사람

말하지 않기 위해 얼마나 애써야 하는지
말하지 않는 사람만이 안다

누군가 지나간 흔적

습한 이력

거기에 너는, 없다

멀리 있는 비밀 같은 것에는 관심이 없었다

눈물은

마음의 바깥에서만 발견된다

천천히 차오른다

나 자신에게 돌아가기 위해

길을 내는 것이다

관계

무수한 옥타브를 넘나들며 내게로 온
너의 가장 앳된 흔적 하나

너는 왜 그렇게 장르에 집착하냐고 물었다
글쎄
그러는 너는 뭐가 그렇게 불편하니
진심도 없으면서 속아 넘어갔던

나는 드물게 날카로웠고
너는 야생 같은 나를 묻히고 돌아다녔지
눈부심의 궤적을 좇는 마음

나는 너의 마지막 심장이어야 해
슬픔을 뜯어먹으며 오래오래 굶주려야 해

비통과 거절
사이

검은 치마

희미한 입김 같은 것
캄캄한 흉곽 안을 떠돌던 얼굴 같은 것

죽어서 태어난 몸
아무리 해도 너의 눈이 기억나지 않는다

죽은 아이의 이름과는 어떻게 헤어지는가

슬픔을 말아 쥔 채로
가끔 내 빈 곳을 만져 보는 거야
흉하게 뚫린

거기

봉인된 기억

문득 밥을 먹다 옆 테이블을 돌아봤겠지
우리는 한 번도 갖추지 못했던 미의식 같은
서로의 속을 따뜻하게 데우는 모습에
봉인된 기억들이 치밀어 오른다

어떤 희생과 어떤 의지에도 불구하고 나는 가질 수 없고
단지 딴 사람의 행복 옆을 스쳐 지나와 버린 것만 같
았다*

불행이 좀 더 영민하게 기억될 뿐

열기는 한 순간이고
기다림은 매 순간이다

나는 사랑을 몰랐고
사람은 더더욱 몰랐다

지나간 모든 사랑은 질기고 모나게 완료되었다

쓸어 낸 자리를 다시 어지럽히는 건
결국 나를 알뜰히 매만져 주었던 사람이었지

나는 뉘우칠 일이 많은 사랑을 했다
사랑하고 이별하는 일에도 근신이 필요하다

* 이반 투르케네프, 『첫사랑』에서.

목련

재채기하듯
불쑥 솟아오른 목련 앞에

그녀가 코를 들이대고
흐읍,

하며 들이마셨다 내는
숨 사이로
막 양치한 듯한 하얀 치약 냄새가 새어 나왔다

맨 가지 끄트머리에 하얗게 부둥켜안은 몸뚱이
막 피어나는 저릿한 살냄새
수런거리는 흰 빛
다가가 곧 한 덩어리가 되던

목련꽃 이파리
한 뼘 그늘처럼 어두워질 때
내 몸에 뿌리내린 길고 짙은 당신의 그림자
그을음처럼 까맣게 내려 앉는다

케케묵은 기억들은

어지럽게 흩어져 말라비틀어지고

우리가 사랑이라 불렀던 그 조형의 시간은

유언도 남기지 않고 저편으로 사라진다

곶감

울음,
울음,
웅크려 앉은 울음들을 실에 꿰다가 생각한다

너를 향한 무수한 점령, 그는
모를 것이다 이 사랑을

어떤 울음은 물음이 된다

붉게 타오르는
물음과 되물음은 서로의 적막한 육체를 캐묻는다

이 사랑의 정체는 밝혀지지 않을 것이다
그저 나쁜 습관을 고치기만 하면 되는 것이다

최초의 둥근 시간이
허공을 흔들며 만드는 그것
울음과 물음 사이의 파열음에 귀를 기울인다

뼈에 닿을 듯 가닿을 듯 그렇게
앙상한 본질로 승화된다

허기진 듯
실눈을 뜬다
바람이 데려간 기억의 살점들을 바라본다

툭,

하고 눈을 잃고 만다
빈 눈으로 운다

현기증 같은
내 몸의 운율이 사라지고 있다

비 내리는 자화상

비껴갔으면 좋았을걸
스쳐갔으면 그랬으면

짙어지는 빗소리
우리 사이로 흐르던 물
여자는 우산을
남자는 그 비를 다 맞고 있었다
당신은 자꾸 지워지고
그래서 당신이 더 선명해진다

비 내리는 오후
젖은 서랍을 연다
서둘러 밤이 되는 것들
어떻게 놓아야 하는지를 몰라서
버리지 못하고 내내 앓던 것들

못 붙인 말들이 진물이 되어
서랍 속을 전전하는 동안
마음은 기하학적으로 시달리고 있었다

너무 오래 움켜쥐고 있어서
색이 바랜 사랑이
거기 있었다

닿지 못한 서사들은
언제나 추웠다

엉망으로 버려진 게 아니라는 거
손이 빨갛게 젖어 와
자음과 모음이 무너져 내려도
비가 그치질 않는다

식물이 자라는 시간

리어카 위에서
가장 슬퍼 보이는 식물을 사 왔다

너는 얼마나 버틸까
이별의 유대감이랄까

버티는 삶에 대해선 내가 좀 알지
내가 죽인 것들의 이름은 잘 잊히지 않는다

너의 아랫도리, 너의 속사정은 알 수 없지만
사나운 몰골로 거뭇거뭇
온 힘을 다해 죽어 간 식물들의 마지막을 기억한다

죽음은
무덤의 일부가 된다

배후조차 사라진 텅 빈 동공으로
자신의 폐허를 바라보는 것
누군가의 죽음을 떠올린다는 것은

결국 그 사람의 가장 화려했던 조도를 떠올리는 것이다

차라리 썩지도 못하면서
낮게 조명을 켠 듯 밤을 밝히고 있는 나에게 묻는다
너는 얼마나 버틸 것인가 하고

버티는 삶에 대해선 내가 좀 알지

아직 살아 있는데 좀처럼 싹을 틔우지 못하는
평생 무능했으므로
가장 스산한 연대기를 지녔다고

사라지는 윤곽들

2022년 4월 7일 초판 1쇄 발행
2022년 4월 7일 초판 1쇄 인쇄

지은이　　　|　권덕행

책임편집　　|　송세아
편집　　　　|　안소라, 김소은
제작　　　　|　theambitious factory
인쇄　　　　|　아레스트

펴낸이　　　|　이장우
펴낸곳　　　|　꿈공장 플러스
출판등록　　|　제 406-2017-000160호
주소　　　　|　서울시 성북구 보국문로 16가길 43-20 꿈공장 1층
전화　　　　|　02-6012-2734
팩스　　　　|　031-624-4527
이메일　　　|　ceo@dreambooks.kr
홈페이지　　|　www.dreambooks.kr
인스타그램　|　@dreambooks.ceo

ISBN　|979-11-92134-09-3

정 가　|11,500원